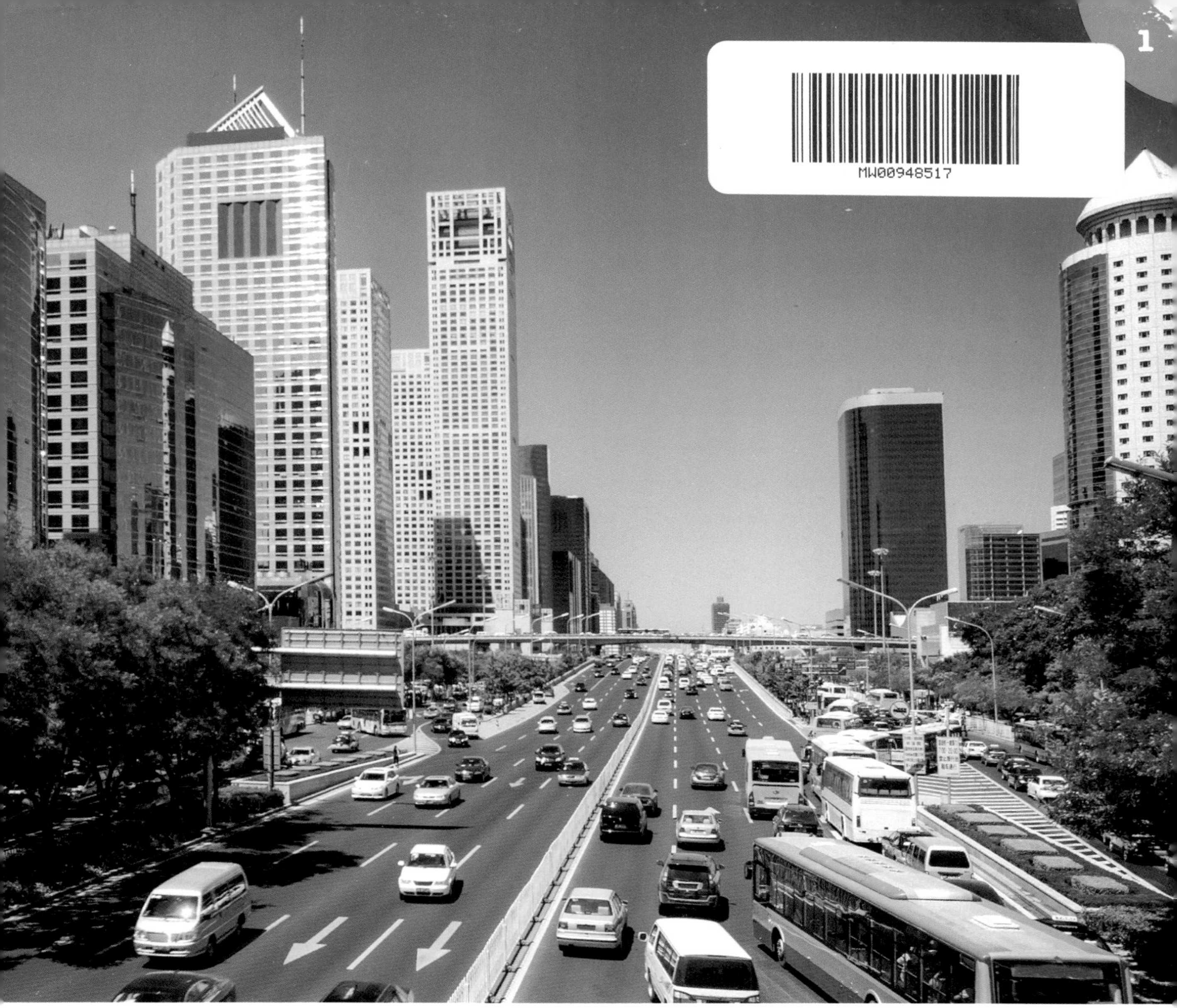

北京的天气常常变。

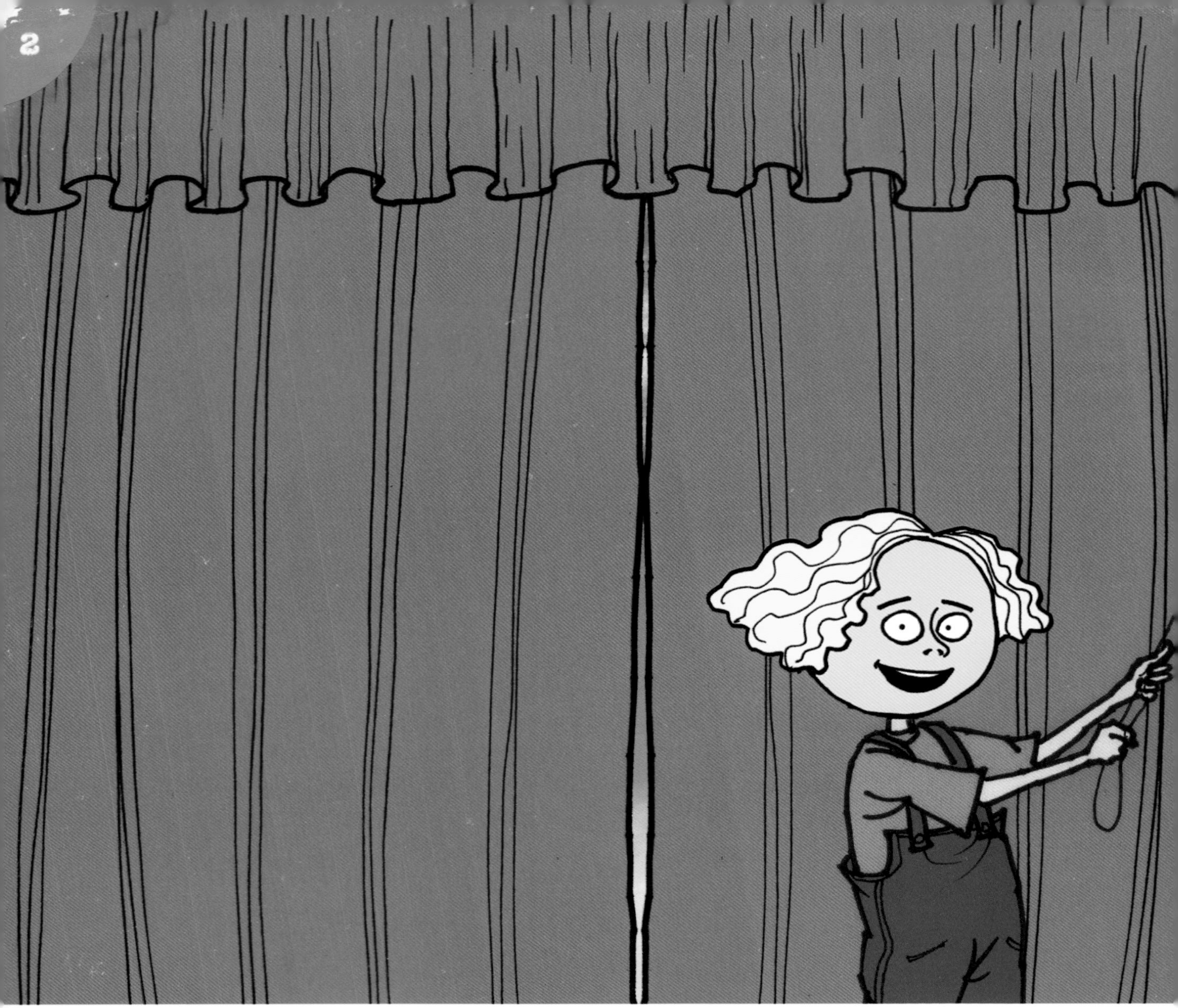

今天天气怎么样？

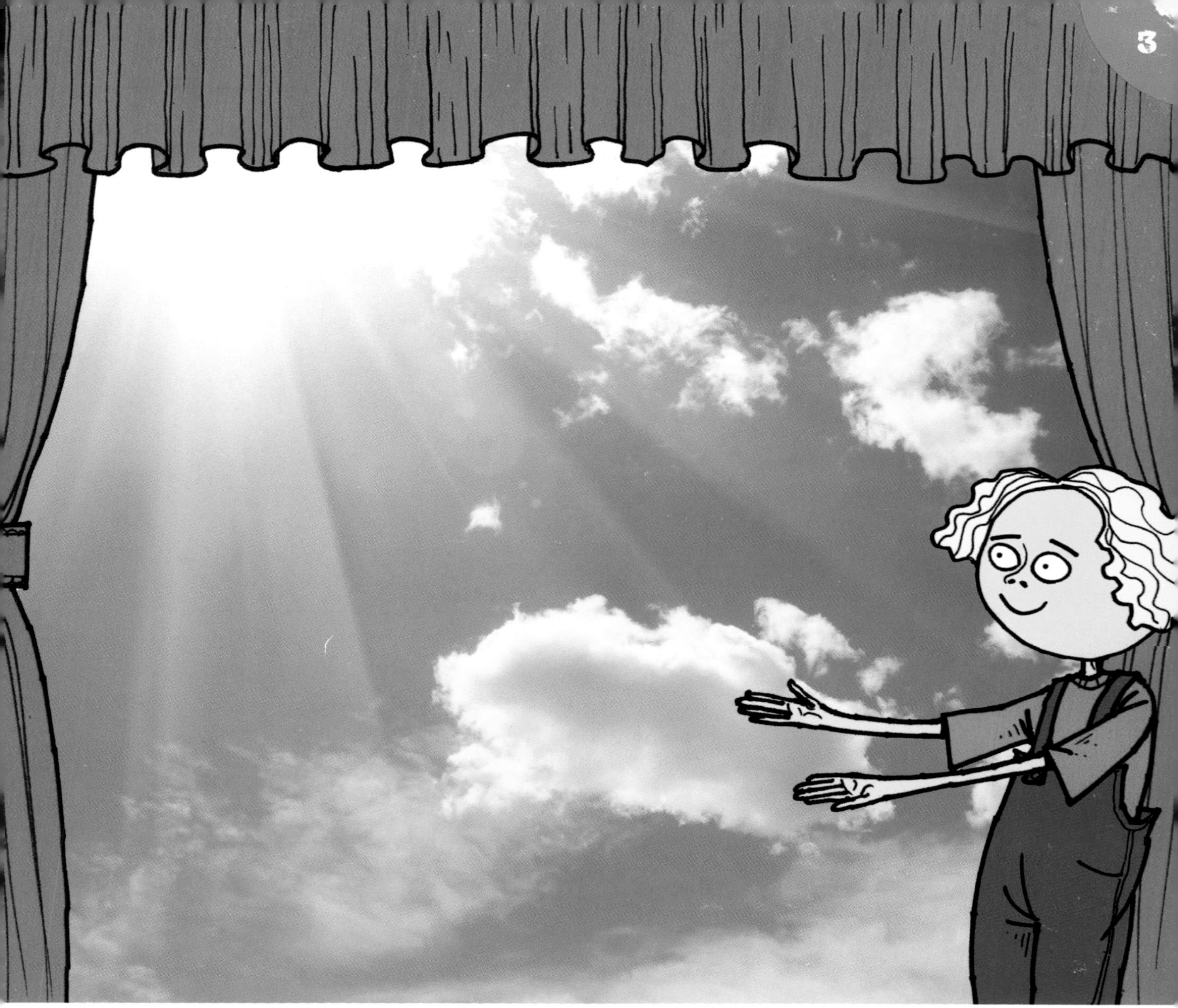

今天是晴天。

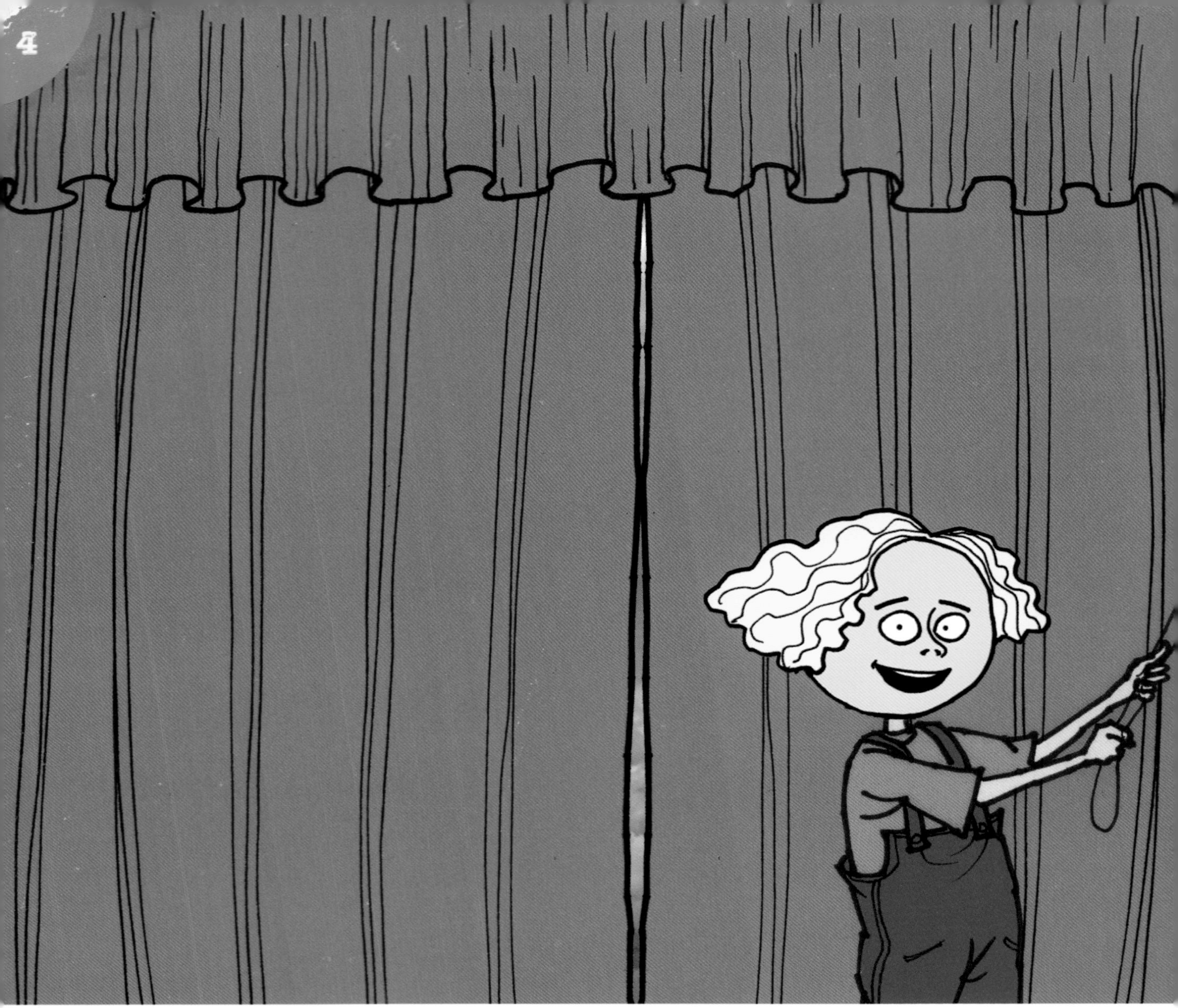

明天天气怎么样？

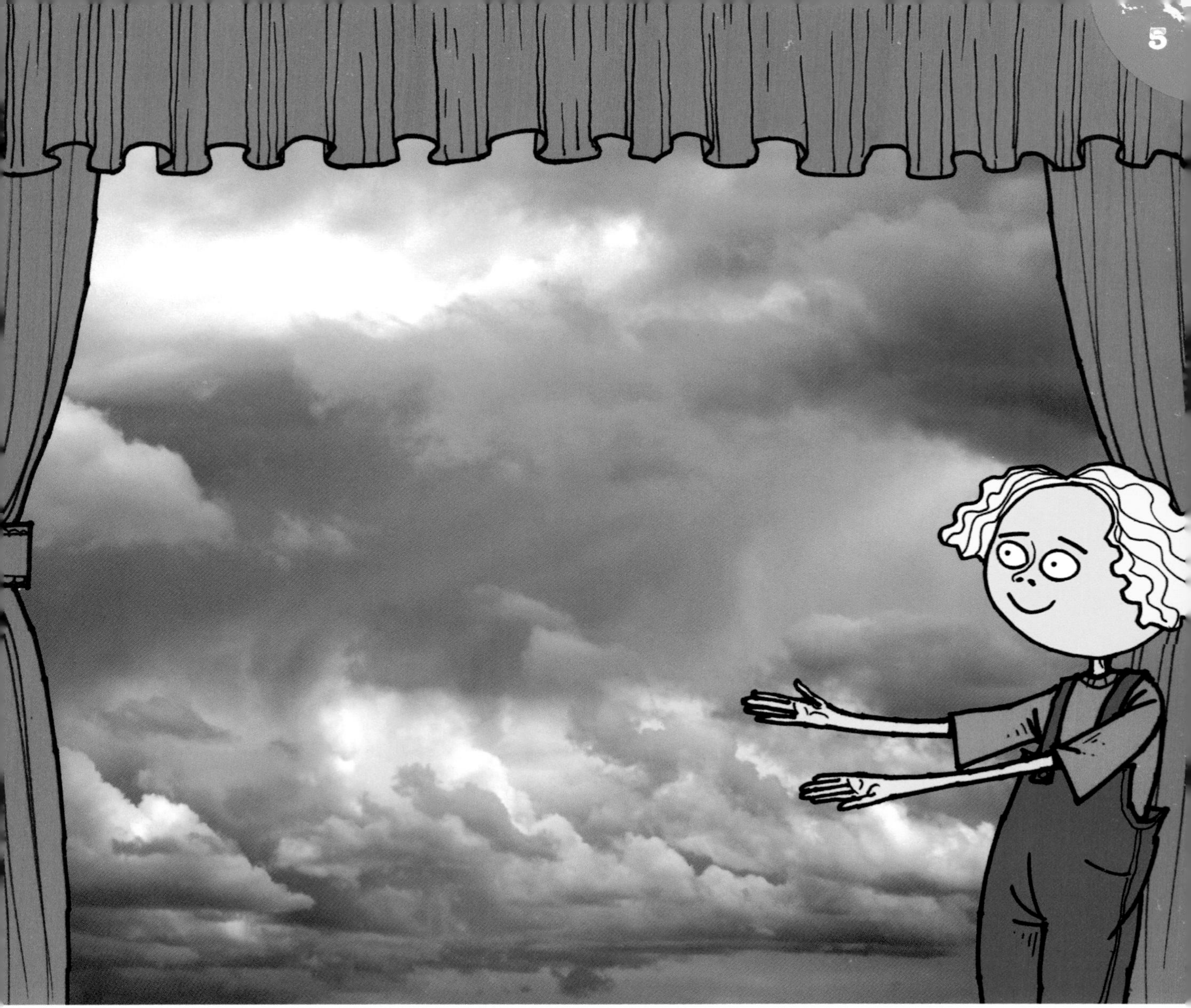

明天是阴天。

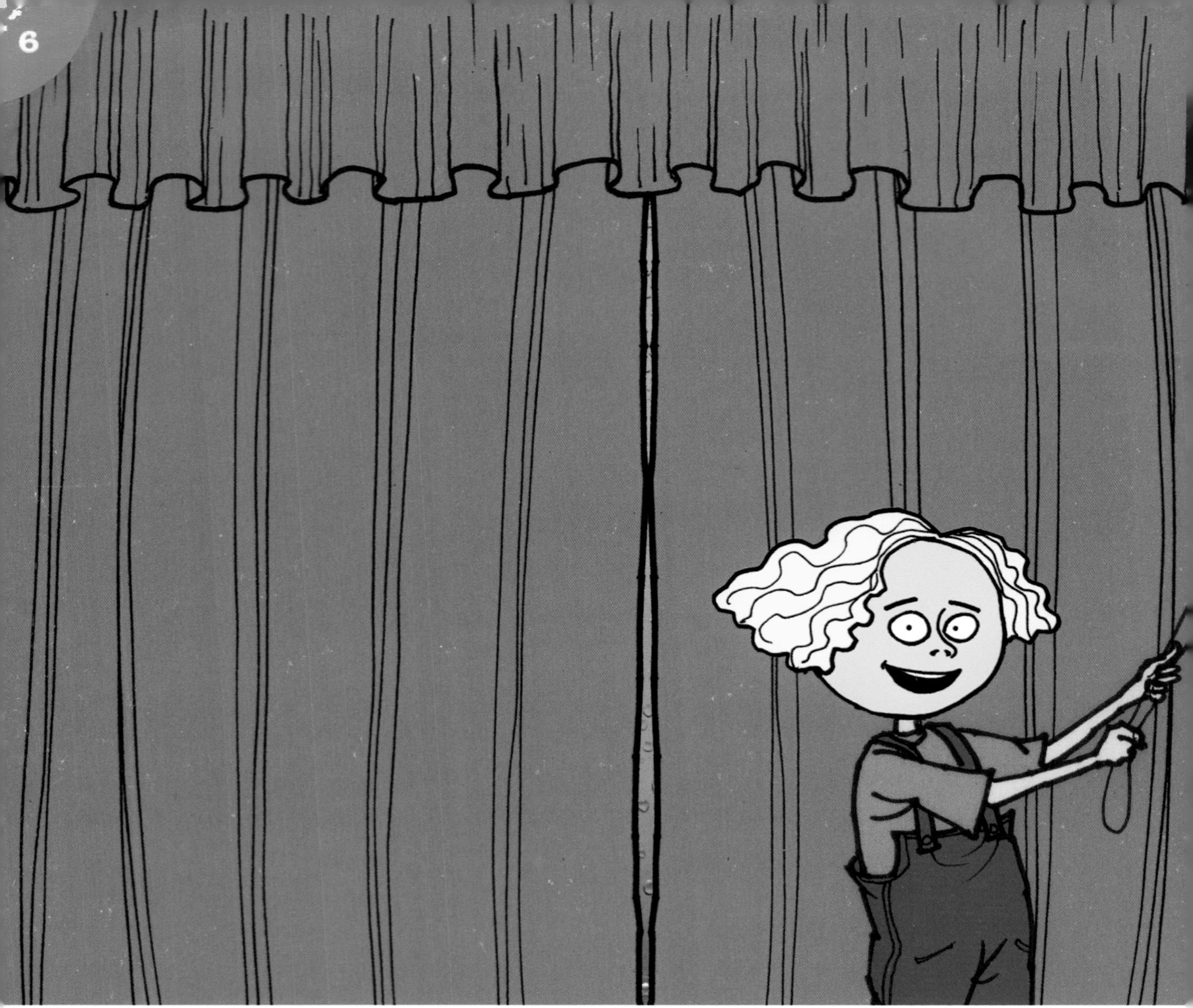

后天天气怎么样？

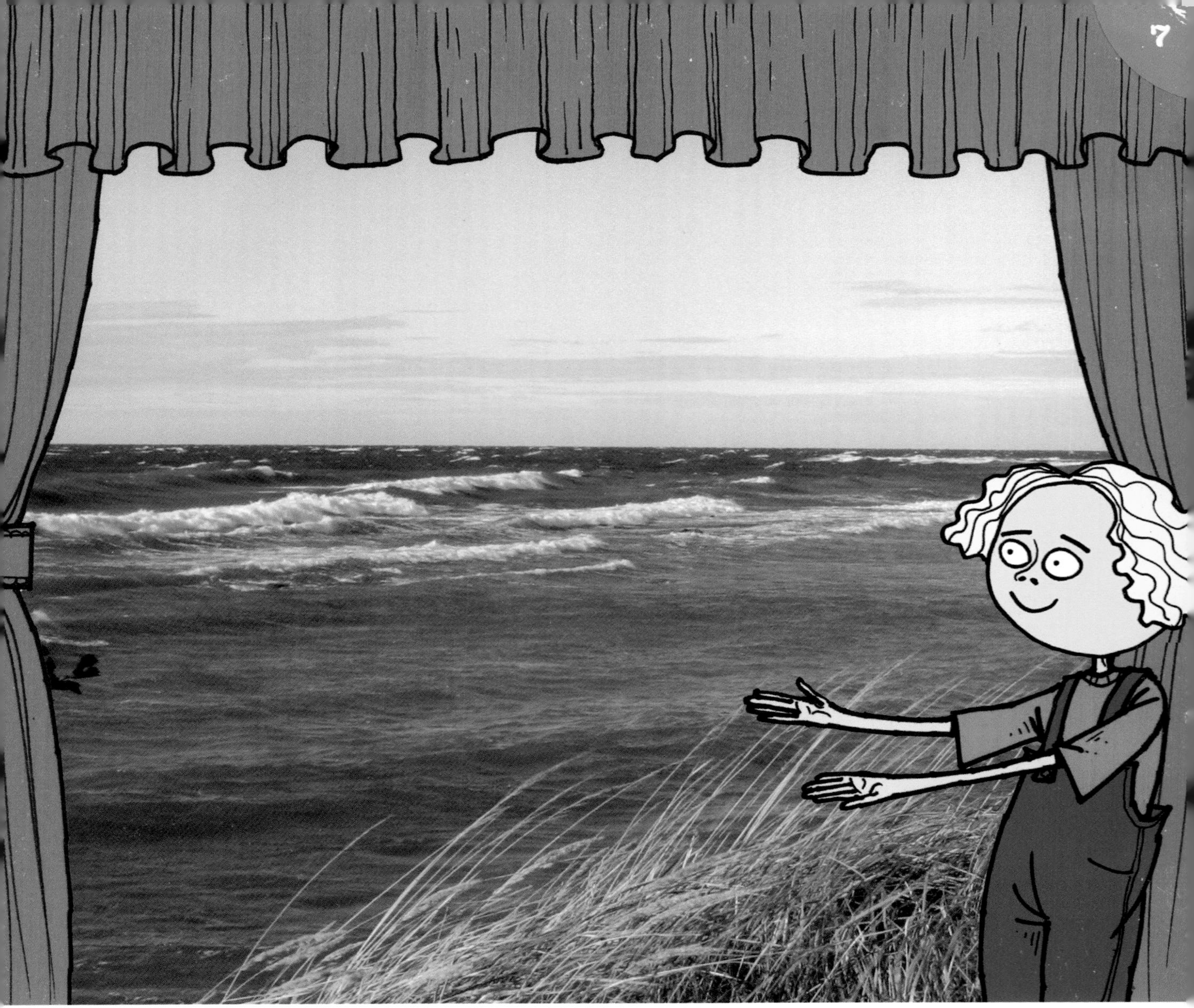

后天刮风。

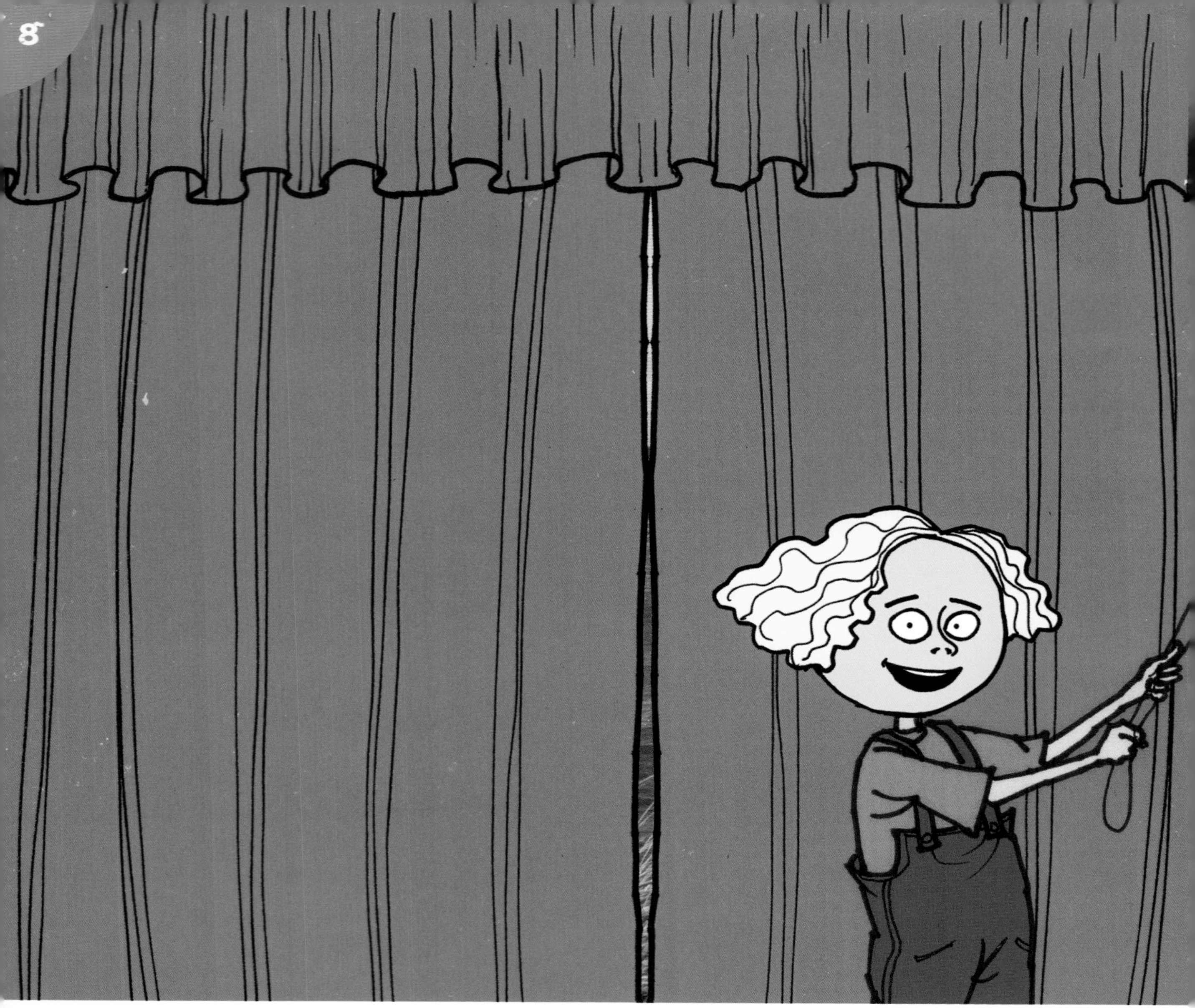

周末天气怎么样？